I Leo Branko
a Nika Sunajko

Cwtshys bach i Monika a Luka

Douglas
a'r
Cywion
Ciwt

DAVID MELLING

ADDASWYD GAN EURIG SALISBURY

atebol

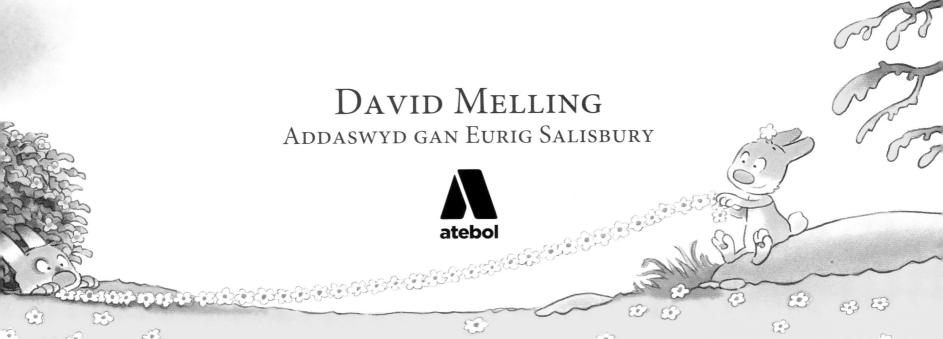

Roedd Douglas wedi casglu llawer o bethau y gwanwyn hwnnw.

Douglas was counting his spring collection.

Roedd ganddo ...

So far he had ...

ddwy ddeilen,

two leaves,

un garreg lefn,

one smooth stone,

brigyn cnotiog ...

a funny-shaped twig ...

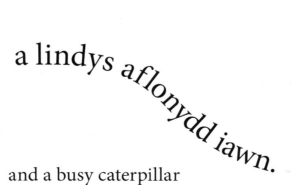

a lind*ys* aflonydd iawn.

and a busy caterpillar
that wouldn't keep still.

Yn sydyn, fe syrthiodd rhywbeth o'r awyr.

Llond llaw o frigau bach, wyth o wyau aderyn …
a gwiwer!

Suddenly something dropped out of the sky.

It was a handful of twigs, eight small bird eggs … and a squirrel!

'O na! Ydw i wedi'u torri nhw?'
gwichiodd Gwiwer, cyn sgrialu i ffwrdd
a'i chynffon rhwng ei choesau.

'Oh no! Did I break them?'
Squirrel squeaked, before scuttling away embarrassed.

'O diar,' gwaeddodd Aderyn Dowcio.
'Fy nyth, fy wyau, fy mabis!
Beth yn y byd wna' i nawr?'

'Oh my,' called Swoopy Bird.
'My nest, my eggs, my babies! What am I going to do?'

'Paid â phoeni,' dywedodd Douglas,
'mae dy wyau'n ddiogel, ond efallai
y byddi di angen nyth newydd.'

'Don't worry,' said Douglas,
'your eggs are safe but I think you might need a new nest.'

Gofynnodd Aderyn Dowcio
i Douglas ofalu am ei hwyau tra
ei bod yn adeiladu nyth newydd.

Swoopy Bird asked Douglas to look after her eggs
while she quickly built a new nest.

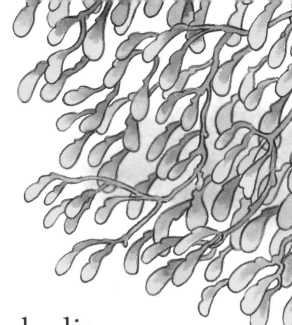

Ar ôl gwylio'r aderyn am ychydig,
eisteddodd Douglas ar y llawr.
'Fe arhosa' i fan hyn,' dywedodd.

He watched for a while, then sat down.
'I'll wait right here,' he said.

Y peth drwg
am aros,
meddyliodd
Douglas,

The trouble with waiting,
thought Douglas,

yw bod yn rhaid
aros yn llonydd.

is the sitting still part.

Roedd aros yn gwneud iddo deimlo'n aflonydd i gyd.

Waiting gave him the fidgets.

Yna'n sydyn, fe glywodd sŵn sibrwd ...

Just then he thought he heard whispering ...

Daeth pennau'r Cwningod Od i'r golwg.
Dywedodd Douglas fod nyth
yr Aderyn Dowcio wedi torri,
a'i fod e'n gofalu am ei hwyau hi.

The Funny Bunnies popped up.
Douglas told them all about Swoopy Bird, her broken nest
and how he was looking after her eggs.

Sbonciodd un gwningen tuag ato. 'Dywedodd Mam
fod yn rhaid i wyau fod yn ddiogel ac yn gynnes,
a dyna pam fod adar yn eistedd arnyn nhw yn y nyth.'

A little bunny hopped up to Douglas.
'My Mum says eggs have to be safe and warm, that's why birds sit on them in the nest.'

'Efallai y dylwn i eistedd ar y rhain,'
dywedodd Douglas.

'Maybe I should sit on these,' said Douglas.

'Naaaaa!'

gwaeddodd pawb.

'Nooooo!'
  they all cried.

Yna fe roddodd y gwningen fach ei breichiau o amgylch Douglas. 'Dwi'n teimlo'n ddiogel ac yn gynnes pan dwi'n cael cwtsh.'

The little bunny put his arms around a bit of Douglas. 'I feel safe and warm when someone hugs me.'

'Cwtshys i'r wyau!' gwaeddodd Douglas. 'Dyna syniad da!'

'Egg Hugs!' cried Douglas. 'That's a good idea!'

Felly cafodd pob un

So every bunny was

gwningen wy yr un.

given one egg each.

Ymhen ychydig, rhoddodd Douglas yr wyau
yn ôl yn y nyth a daeth pawb at ei gilydd.

After a while, Douglas put the eggs back in the nest while everyone gathered round.

'Www, mae'r wy yna'n symud.
Dwi'n meddwl ei fod yn deor!'
dywedodd un o'r Cwningod Od.

'Ooh, that egg's moving. I think it's hatching!' said a Funny Bunny.

'Beth yw ystyr 'deor'?' gofynnodd Douglas.

'What does that mean?' asked Douglas.

'Pan mae cyw bach yn dod allan o'r wy,' esboniodd y cwningod.

'It's when baby birds come out of their eggs,' the bunnies explained.

Cyn bo hir, roedd **wyth cyw fflwffog**

Soon, there were eight fluffy birds

â choesau bach chwim iawn.

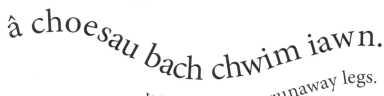

with very quick runaway legs.

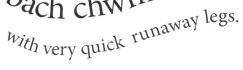

'Maen nhw wedi mynd!
Rhaid i ni ddod o hyd iddyn nhw,' gwaeddodd Douglas.

'They've gone! We have to find them,' cried Douglas.

Roedd teulu o ddefaid yn cerdded heibio, ac fe gynigion nhw helpu.

'Sut olwg sy arnyn nhw?' gofynnodd Dadi Dafad.

A family of sheep was passing by and offered to help.

'What do they look like?' asked Daddy Sheep.

'Fel yna!' gwaeddodd Gwiwer
wrth edrych yn fanwl ar ben Dadi Dafad.

'Like that!' said Squirrel looking at Daddy Sheep's head.

Gallai Gwiwer weld pob un o'r wyth
cyw o'r gangen uchel, a dangosodd i'w
ffrindiau ble i ddod o hyd iddyn nhw.

From up in the tree, Squirrel could spot all eight
babies and pointed them out to his friends.

Yn ffodus iawn, ni chymerodd yn hir i'r criw ddod o hyd i'r cywion i gyd, a'u rhoi'n ôl yn y nyth.

Luckily, it didn't take long to find them and put them back in the nest.

'Diolch byth!' dywedodd Douglas.

'Phew!' said Douglas.

Fry uwchben,
roedd Aderyn Dowcio'n trydar,
'O, mae fy nghywion wedi deor!
Ac wrth lwc, mae eu nyth newydd yn barod.
Douglas, a wnei di ddod â nhw i fyny?'

High above them, Swoopy Bird chirped.
'Oh, my babies have hatched!
Just in time for my new nest.
Douglas, can you bring them up?'

Aeth Douglas a'i ffrindiau ati
i greu ysgol sigledig iawn.

Douglas and his friends made themselves into a wobbly ladder.

Ac ar ôl ychydig o fyny
a mymryn o lawr,
helpodd Gwiwer y cywion
gamu i mewn
i'w cartref newydd.

And after a bit of up
and a bit of down ...
Squirrel gave the birds
a helping hand into
their new home.

'Mae fy mabis adref!' dywedodd Aderyn Dowcio'n hapus, a rhoi

CWTSH TEULU MAWR

iddyn nhw.

'Diolch i chi i gyd,' trydarodd.

'My babies are home!' cried Swoopy Bird, and gave them a **FAMILY HUG.**

'Thank you, everyone,' she chirped.

Roedd hi mor hapus, fe wnaeth hi hyd yn oed anghofio ei bod hi'n grac â Gwiwer, a rhoi cwtsh mawr iddi hi hefyd.

She was so happy she even forgot she was cross with Squirrel and gave him a hug too.

Dywedodd Aderyn Dowcio y gallai Douglas ychwanegu'r plisgyn wy at y pethau roedd wedi'u casglu y gwanwyn hwnnw.

Swoopy Bird gave Douglas the eggshells as an extra special addition to his spring collection.

'Dewch bawb i gael
Cwtsh-Cadwyn flodau!

'Let's have a
Daisy-Chain hug!

Beth well ar ddiwrnod o wanwyn?'
dywedodd Douglas.

Perfect for a spring day!' laughed Douglas.

Pethau i'w gweld ar ddiwrnod o wanwyn:

Things to spot on a Spring day:

Cywion bach sy wedi gadael y nyth

Baby birds that have left the nest

Cywion bach

Baby birds

Siapiau cwmwl fflwffog

Fluffy cloud shapes

Ŵyn bach

Baby lambs

Gwylio adar

Bird spotting

Blodau lliwgar

Colourful flowers

Gwenyn prysur

Busy bees

Cân adar

Bird song

Nyth gwiwer

A squirrel's nest

Lindys a ieir bach yr haf

Caterpillars and butterflies

Blodau ar y coed

Tree blossom

Egin newydd

New seedlings

Adar yn nythu

Nesting birds

Trychfilod yn cropian

Crawly insects

Cawodydd Ebrill

April showers

Y fersiwn Saesneg

Addasiad o *Hugless Douglas and the Baby Birds* gan David Melling

Cyhoeddwyd gyntaf yn 2019 gan *Hodder Children's Books*

Hawlfraint testun ac arlunwaith © David Melling, 2019

Mae David Melling wedi datgan ei hawl dan Ddeddf Hawlfraint,
Dyluniadau a Phatentau 1988 i gael ei gydnabod fel awdur ac arlunydd y llyfr hwn. Cedwir pob hawl.

Mae *Hodder Children's Books* yn rhan o *Hachette Children's Group* sy'n rhan o *Hodder & Stoughton*.

Y fersiwn Cymraeg

Addaswyd gan Eurig Salisbury

Golygwyd gan Adran Olygyddol Cyngor Llyfrau Cymru

Dyluniwyd gan Owain Hammonds

Cyhoeddwyd yn y Gymraeg gan Atebol Cyfyngedig,
Adeiladau'r Fagwyr, Llanfihangel Genau'r Glyn, Aberystwyth, Ceredigion SY24 5AQ

Hawlfraint y cyhoeddiad Cymraeg ©Atebol Cyfyngedig 2019

ISBN: 9781912261604

www.atebol.com